## Alianza Cien

pone al alcance de todos
las mejores obras de la literatura
y el pensamiento universales
en condiciones óptimas de calidad y precio
e incita al lector
al conocimiento más completo de un autor,
invitándole a aprovechar
los escasos momentos de ocio
creados por las nuevas formas de vida.

## Alianza Cien

es un reto y una ambiciosa iniciativa cultural

TEXTOS COMPLETOS

Juan Antonio Ramírez

# Picasso

## El mirón y la duplicidad

Alianza Editorial

Diseño de cubierta: Ángel Uriarte
Ilustración de cubierta:
Picasso, *Bodegón con cráneo de buey,*
Kunstsammlung Nordrhein-Westfalen, Düsseldorf


Calle J. I. Luca de Tena, 15, 28027 Madrid; teléf. 741 66 00
ISBN: 84-206-4654-7
Depósito legal: B. 37328-1994
Impreso en Novoprint, S.A.
*Printed in Spain*

## 1. *Un mito prometeico*

El increíble paso por el mundo de Pablo Ruiz Picasso (1881-1973) parece diseñado para desmentir la vieja y amarga verdad de que los seres humanos sólo tenemos una vida y nuestros recursos son limitados. Picasso, en efecto, sobrepasó todas las metas e hizo añicos cualquier clase de convenciones. Las anécdotas innumerables de su biografía personal revelan a un ser de portentosa vitalidad a quien no se le pueden aplicar los parámetros con los que juzgamos al común de los mortales. ¿Cómo analizar y valorar al creador que ha dominado de un modo tan absoluto la escena artística del siglo XX?

Cualquier exposición antológica de Picasso nos transmite la impresión de una enorme variedad: se diría que no vemos la obra de un solo artista sino los trabajos de una multitud. ¿Cuántos *Picassos* hay? ¿Y no es sorprendente que esta reconocida diversidad carezca de incoherencias o se traduzca en altibajos creativos? ¿Es posible ser a la vez tan distinto y sin embargo tan *unitario*? ¿Cómo pudo Picasso mantener siempre, durante más de setenta años, las más altas cotas de calidad?

Estas y otras preguntas similares constituyen la urdimbre de lo que se ha denominado el «misterio Picasso»: son muchos, en efecto, los aficionados a las artes plásticas que se han rendido ante cualquier intento de explicación reconociendo, sin más, que *Él* es el Genio (con mayúscula), un caso inaudito, el monstruo ante cuya naturaleza excepcional se hacen inútiles las teorías y se aniquilan las predicciones. Y sin embargo, es inevitable el intento reiterado de comprender el sentido de la vida y la obra de Picasso porque este hombre constituye por sí solo uno de los episodios más importantes de toda la historia del arte universal. Varios factores confirman esta aseveración. Si pensamos en el mito renacentista y romántico del creador-demiurgo como un individuo elevado inexorablemente, casi sin esfuerzo, sobre los demás, todo apunta hacia Picasso como una especie de culminación. Es como si ni siquiera él mismo hubiera sido capaz de evitar su talento prodigioso, y por eso pudo afirmar lo siguiente, sintetizando esta realidad: «Dicen que yo soy un hombre que busca. Pero yo no busco, encuentro.»

Pero hay algo más. La historia del arte parece haber surgido en aquellas sociedades que pueden detectar y asimilar innovaciones formales (de lenguajes y de estilos) sin que cambien de un modo sustancial otros supuestos generales de la cultura y la civilización. Así pues, si las novedades artísticas y el éxito o aceptación de las mismas han sido una especie de *motores* para esta disciplina, debemos concluir que nadie los ha acelerado con tanta fuerza como Pablo Picasso. Desde este punto de vista, la historia del arte parece culminar con él y su caso sólo es comparable al de Miguel Ángel Buonarotti, en la segunda mitad del siglo XVI: del mismo modo que a los discípulos «romanistas» del florentino les parecía impensable la posibilidad de que nadie sobrepasara en el futuro a su maestro, Picasso dejó, tras su muerte, un vacío colosal. Es preciso tomar aliento y sobreponerse para no aceptar que la historia de la creación plástica terminó con la desaparición de este artista en 1973.

## 2. *De Málaga a La Coruña*

Pablo Ruiz Picasso había nacido en Málaga el 25 de octubre de 1881. No era entonces esta ciudad meridional española un villorrio tan provinciano como muchas veces se ha dicho: la segunda mitad del siglo XIX fue, por el contrario, un periodo de notable desarrollo económico e industrial. Málaga tenía un interesante sector burgués, dinámico y progresista, que estaba al tanto de las corrientes artísticas dominantes en los grandes núcleos capitalinos. Don José Ruiz Blasco, el padre de Picasso, era un mediocre pintor, pero eso no indica nada del nivel artístico de la ciudad en cuya Academia de Bellas Artes enseñaba los rudimentos del dibujo. La Málaga de finales del siglo XIX y principios del XX dio trabajo estable y residencia a pintores bastante buenos como Denis Belgrano, Simonet o Muñoz Degrain (por mencionar sólo a los más conocidos), en torno a los cuales se desarrolló una muy estimable *escuela* pictórica local. Esta era, pues, una ciudad adecuada para inocular al futuro genio el virus del arte.

Málaga era como una isla liberal, con un aire de enclave colonial. Picasso debió asimilar este espíritu de la ciudad y por eso se sintió luego muy cómodo en su papel de exiliado permanente. No hay duda, en cualquier caso, de que el futuro artista quedó marcado por algunas impresiones recibidas en sus años infantiles: lo primero es el sol, y la presencia constante del mar Mediterráneo. Volverá a encontrarse con ambas cosas en Barcelona, y ya no lo olvidará jamás en su vida adulta. Los larguísimos periodos pasados mucho más tarde junto a la costa mediterránea francesa pueden entenderse como tributos inconscientes al mundo malagueño. La afición de Picasso por los toros, ese espectáculo brillante y brutal, que también se puede contemplar en el sur de Francia, fue adquirida en su ciudad natal: se conservan bastantes dibujos del pequeño Pablo representando escenas taurinas.

En otros trabajos de los mismos años, muy significativos también, reprodujo distintas clases de palomas. Éste era el asunto preferido de su padre como pintor: aunque las obras que se conservan de él carecen de verdadera calidad artística, sí revelan un aceptable dominio del oficio. En cualquier caso, es evidente que la paloma y el toro, los dos animales emblemáticos de Picasso, pintados una y otra vez, con múltiples variantes, a lo largo de su dilatada vida, proceden de sus primeras experiencias infantiles en la ciudad de Málaga.

En septiembre de 1891 don José Ruiz Blasco fue nombrado profesor de dibujo en el instituto de La Coruña, y a esa ciudad se trasladó con toda su familia. Pablo empezó el nuevo curso en un *clima* completamente diferente. La intensidad atlántica, la verdura del paisaje y los largos días lluviosos contrastaban radicalmente con sus vivencias andaluzas. Tenía entonces dos hermanas, Lola (nacida en 1884) y Conchita (nacida en 1887). La muerte de esta última, poco después del traslado a Galicia, fue un mal presagio. Pablo quería mucho a Conchita y debió afectarle mucho su desaparición: cuando en 1935 nació su primera hija, decidió ponerle el mismo nombre de aquella remota hermana que había fallecido a los cuatro años de edad.

Pero el periodo de La Coruña fue decisivo para que la vocación de Pablo por la pintura se decantara de una manera decisiva. Allí pasó los cuatro cursos siguientes, e hizo sus primeras obras con pretensiones «artísticas»: retratos y caricaturas ejecutados en periódicos enteramente manuscritos y dibujados por él, a los cuales dio nombres como *La Coruña* y *Azul y Blanco* (1894). También elaboró estimables ejercicios académicos (escayolas, detalles anatómicos...), además de algunos óleos con paisajes y figuras.

## 3. *Académico adolescente*

En la primavera de 1895 don José Ruiz Blasco dejó su trabajo en La Coruña para ocupar inmediatamente una plaza docente en la Escuela de Bellas Artes de Barcelona («La Lonja»). La llegada a la gran metrópolis mediterránea debió de impresionar mucho al joven Picasso. Era el momento de la gran transformación ciudadana: el Ensanche se estaba materializando a un ritmo vertiginoso, y por todas partes se percibía un gran impulso económico y creativo. El modernismo y la Renaixença catalana no estaban reñidos con un verdadero cosmopolitismo, único en España y difícil de igualar en cualquier otra ciudad europea coetánea. Aquella era la Barcelona de Gaudí y Verdaguer, pero también uno de los núcleos obreristas más importantes del mundo, con una fuerte implantación del anarquismo y del socialismo revolucionario.

Pablo ingresó con suma facilidad en los cursos avanzados de La Lonja. Casi al mismo tiempo, guiado por su padre, empezó a prepararse para alcanzar el éxito como un pintor burgués y académico. Durante el invierno de 1895-96 pintó *La primera comunión*, un óleo de 166 x 118 centímetros que puede considerarse su primer intento ambicioso de presentarse ante el mundo como un «pintor profesional». Allí se veía a un provecto caballero, vestido con un traje negro, acompañando a su hija que se reclina ante el altar. Es un hombre serio y compungido. Siguiendo la tradición de la gran pintura decimonónica debemos suponer que representa algo más que a un ser individual (aunque sea desconocido para el gran público): él es la probidad, la devoción religiosa y la rectitud moral. Resulta interesante que Pablo reprodujera aquí la efigie de su padre. Así se ahorraba los gastos de un modelo profesional, cierto, pero eso no habría sido posible si no hubiesen ambos convenido que era *verosímil* que don José encarnara las cualidades del personaje a pintar.

Es evidente que Pablo idealizaba la figura paterna, o mejor, la *estilizaba*. En otros retratos sueltos, hechos más o menos por la misma época que el lienzo citado, aparece la efigie grave del señor Ruiz Blasco, con su sempiterna barba rubia que no disimula la ascética delgadez del rostro. Parece claro que la influencia de El Greco, con sus retratos de hidalgos macilentos, pudo haberse infiltrado en el joven Picasso por asimilación, más o menos inconsciente, con la *imagen paterna*.

A principios de 1897 Pablo pintó su segunda (y última) gran pintura académica. Es un lienzo de unos dos metros de alto por dos y medio de ancho que representa a una moribunda a quien atienden en su lecho una monja (con un niño en brazos, supuesto hijo de la enferma) y un médico. Este último es un hombre delgado, serio y respetable, que toma el pulso de la mujer mientras observa atentamente su reloj. ¿Nos sorprenderemos de encontrar en él nuevamente los rasgos inequívocos de don José Ruiz Blasco? El cuadro se titula *Ciencia y caridad*, de modo que ya tenemos otra cualidad sutilmente añadida a la mitología paterna: ahora encarna la exactitud del conocimiento «científico» y la humana preocupación por el negro futuro de su paciente. En fin, dadas estas premisas familiares, cabe preguntarse por la componente edípica de la rebelión de Pablo que se va a producir poco después.

Pero no adelantemos los acontecimientos. *Ciencia y caridad* fue un cuadro planificado y ejecutado cuidadosamente. Tal como pretendía el padre del artista, la obra recibió una mención honorífica en la Exposición Nacional de Bellas Artes de Madrid, en junio de ese mismo año, y una medalla de oro al ser presentado poco después en Málaga. No era un mal comienzo para aquel chico de dieciséis años. Adulaba, desde luego, los gustos del público burgués por los asuntos truculentos y sentimentales. Tampoco había nada novedoso en la técnica, que no acusaba todavía el impacto de los procedimientos postimpresionistas. Pero dada la evolución ulterior del artista, sí conviene insistir en algunos indicios de «crítica social»: la habitación está casi desnuda, la humedad de la ventana mancha las paredes, el camastro es humilde... ¿Y quién es esa enferma que necesita tanto el concurso de «la ciencia» como el socorro de «la caridad»? Es un ser anónimo del pueblo, una mujer sin recursos, no hay duda. Picasso sugiere que la enfermedad y la orfandad son lacras o consecuencias de la pobreza. No es el único cuadro académico de aquellos años que se ocupa de estos asuntos, pero resulta interesante verlo claramente en esta *máquina* pictórica tan juvenil. Se diría, pues, que la temática «miserabilista» de la época azul echa sus raíces en la única gran alegoría académica que pintó Picasso en toda su vida.

## 4. *Melancólico anarquizante: «azul»*

Los tres años siguientes fueron vertiginosos. Nuestro artista acusó la influencia momentánea del luminismo postimpresionista, como se aprecia en algunos paisajes malagueños pintados en el verano de 1896, pero no parece que esta orientación estética dejara en él una huella permanente. Se diría, más bien, que adoptó una orientación expresionista, opuesta al naturalismo «soleado» de Sorolla y de sus múltiples seguidores. Nada de risueños personajes o paisajes idílicos resplandecientes bajo una espléndida luz meridional, sino seres tristes y desgarrados, ensombrecidos por una fría tonalidad monocromática.

Picasso llegó a esto como consecuencia de una rapidísima evolución, arrastrado por una serie de factores estéticos y sociales con los que se tropezó en los años cruciales que marcaron el tránsito de la adolescencia a la juventud. Uno de ellos fue su corta pero decisiva etapa madrileña: en septiembre de 1897 llegó a la capital española para hacer el examen de ingreso y seguir los cursos en la Academia de Bellas Artes de San Fernando. Logró entrar con gran facilidad, como había ocurrido ya en Barcelona, pero no encontró satisfactoria la enseñanza artística de tan prestigiosa institución.

Ese mismo invierno abandonó la Escuela de San Fernando provocando así la primera disputa seria con su padre. Después de eso no aguantó mucho más en la capital: en la primavera de 1898 padeció la escarlatina, regresó a Barcelona para recuperarse, y ya no volvió a Madrid. Lo importante de todo este episodio es que el joven Pablo se había separado de su familia por primera vez lo cual le permitió encontrarse a sí mismo. Durante aquellos meses copió algunas obras del Museo del Prado y, sobre todo, estudió directamente la pintura de El Greco, uno de sus genios tutelares para los próximos años.

Fue, no lo olvidemos, el año del gran desastre. La derrota española en la guerra contra los Estados Unidos (saldada con la pérdida de Cuba, Filipinas y Puerto Rico) tuvo, sin embargo, algunas consecuencias positivas para Cataluña: muchos capitales ultramarinos se repatriaron, y ello favoreció la apertura de nuevas fábricas. La vida económica y cultural de Barcelona cobró un nuevo dinamismo. La ciudad era un hervidero de poetas, músicos y jóvenes pintores inconformistas. Muchos de ellos se vestían de un modo desenfadado y exhibían, en sus tumultuosas reuniones, una antipatía declarada por los valores y los gustos burgueses. El arte verdadero también tenía que ser *revolucionario*. En ese clima dejó Picasso la adolescencia para convertirse en un artista adulto, cada vez más conocido y respetado.

No se debe desdeñar la influencia de estos aspectos: el café Els Quatre Gats, al que acudió con frecuencia desde 1899, fue como una eficientísima universidad informal. Allí se relacionó Picasso con los artistas e intelectuales más interesantes de la ciudad (Isidro y Joaquín Sunyer, Santiago Rusiñol, Ramón Casas, Manolo, Ramón Reventós, Eugenio d'Ors...) y entabló amistad con personajes entrañables como los hermanos Ángel y Mateu Fernández de Soto, Carlos Casagemas o Jaime Sabartés. La camaradería de estos dos últimos tendrá, como veremos, importantes consecuencias en la vida y en la obra ulterior de Pablo Ruiz Picasso.

Se conservan muchos dibujos y testimonios de aquel momento: unos trabajos (como el del menú de Els Quatre Gats) revelan su adhesión a la estética del *art nouveau*, pero otros (como ciertos retratos al carboncillo o el muy conocido óleo con la efigie de Pedro Mañach), muestran un estilo severo, firme y geometrizante, más próximo a la estética vienesa de la Secesión. Es obvio que Picasso está tanteando las posibilidades de diferentes lenguajes plásticos: algunas subvariantes estilísticas le duran muy poco, unos meses tal vez, pero lo normal es que alterne o simultanee a discreción dos o tres modos expresivos. Aunque éste es un comportamiento normal entre los artistas principiantes, es interesante constatar cómo se convirtió en una «toma de partido» consciente para Pablo Picasso cuyos cambios constantes de dirección a lo largo de toda su carrera le habrían llevado a reconocerse, mucho más tarde, como un caso singular: «Quizás en el fondo —dijo— yo sea un pintor sin estilo. Con frecuencia el estilo es algo que fija al pintor en la misma perspectiva, en la misma técnica, en las mismas formulaciones año tras año, a veces toda la vida. Se le reconoce de inmediato, ya que es siempre el mismo traje o el mismo corte de traje. Con todo, hay grandes pintores con estilo. Yo personalmente no soy nada ortodoxo, soy más bien un "salvaje" (...) No me sujeto a reglas, y por eso no tengo estilo.»

Dos modos de expresión de tipo postimpresionista destacan, en estos momentos, en la obra de Picasso: uno de ellos acusa la influencia de Renoir y de Toulouse Lautrec, y se manifiesta en cuadros como *Le Moulin de la Galette* o *Frenesí* (ambos de 1900). El otro, con pinceladas breves y vehementes, más deudor del puntillismo y de Van Gogh, se aprecia bien en *La Nana*, *La bebedora de ajenjo*, *Pierreuse* (todos ellos de 1901), etc. Mientras tanto se encuentra ya plenamente inmerso en su famosa «época azul», pintando la primera serie coherente de obras que le dará fama universal.

Conviene, antes de hablar de esto, mencionar el viaje de Picasso a París en el mes de octubre del año 1900. Se marchó acompañado por Carlos Casagemas, y ambos se instalaron en el estudio de su compatriota Nonell, en Montparnasse. No fue un periodo feliz. Aunque a Pablo no le fue del todo mal (vendió algunos cuadros a Berthe Weill y el marchante Pedro Mañach le ofreció un contrato con una paga mensual de 150 francos), Casagemas se enamoró desesperadamente de una modelo (Laure Gargallo, conocida como Germaine). Ambos amigos regresaron a España, en diciembre, con el propósito de que Carlos pudiera olvidar su infortunio sentimental.

Comenzaron el nuevo siglo en Málaga, que seguía siendo una ciudad recurrente para el joven pintor, pero la «alegría» de las mujeres andaluzas no pudo vencer a los recuerdos de Germaine. Casagemas regresó a Francia. El 17 de febrero su amor no correspondido le llevó al suicidio en un café de París. Fue un golpe terrible para Pablo, que evocó la tragedia de su amigo en varios cuadros realizados en el verano de 1901: en uno de ellos (Musée Picasso, París) se ve el rostro del difunto de perfil, iluminado por una enorme vela de la que salen violentos rayos verdes, rojos y amarillos; el recuerdo de Van Gogh está presente. Pero la pintura más famosa de esta serie, *Evocación. El entierro de Casagemas*, está ya claramente en otra galaxia estética: se trata de una complicada alegoría sobre la muerte, los placeres de la vida y la gloria, con el lamento por el difunto en la parte baja y una exaltación del amor en la zona celestial. Es obvio que Picasso recogió aquí las lecciones de El Greco, y muy en especial de *El entiero del Conde de Orgaz*. La variada gama cromática que se encuentra en otras obras coetáneas se ha reducido aquí, casi exclusivamente, a distintos matices de azul.

Para entender mejor lo del color predominante veamos los temas que pintó una y otra vez en el periodo comprendido entre 1900 y 1903, aproximadamente: retratos melancólicos de pintores o poetas bohemios (también autorretratos); prostitutas solitarias; mendigos (con frecuencia ciegos) y seres con alguna deformidad física; mujeres pobres con niños pequeños; parejas de amantes con aspecto triste y desconsolado, etc. Se ha sugerido que Picasso pudo haber padecido entonces una enfermedad «secreta» como la sífilis, cuya secuela extrema más grave (especialmente para un pintor) era la ceguera. Pero no hace falta explicar con consideraciones autobiográficas el patetismo de tales pinturas, pues ese universo temático era compartido en parte por otros artistas del momento (piénsese en Nonell o en los primeros expresionistas finiseculares como Edvard Munch). Parece que había una cierta clientela para estas obras que tantos «buenos sentimientos» han inspirado en las élites burguesas bienpensantes.

¿Dónde estaba, pues, su novedad? La influencia española de El Greco se hacía palpable en el alargamiento de los miembros, en los desgarrones cromáticos, y en la supuesta espiritualidad de tan ascéticos personajes. Pero no explica por sí sola el empleo del color azul que acentuaba la sensación de tristeza y frialdad. Este deseo de reforzar un sentimiento mediante la eliminación consciente y sistemática de los tonos que podrían distraerlo, tiene una importancia mayor de lo que parece a primera vista. El cine primitivo lo utilizó, con aquellas secuencias coloreadas de amarillo o de rosa (escenas sentimentales), de rojo (batallas), o de verde y azul (terror, tristeza). Pero fue Picasso, tal vez, el único pintor que se sirvió siempre de este recurso tan antinaturalista pero tan eficaz desde el punto de vista psicológico: a la época *azul* le sucedió la *rosa*, y luego la *negra* ulterior a *Las señoritas de Aviñón*; el color *grispardo* del cubismo analítico continuaría esta tradición, y lo mismo cabe decir del violento *blanco y negro* de *Guernica*. Parece que no supo o no quiso prescindir de que un acento intelectual-emocional predominante anduviera asociado a una cierta unidad cromática.

## 5. *La felicidad «rosa» del Bateau-Lavoir*

La transición hacia el color *rosa* fue (como siempre tratándose de Picasso) bastante brusca, y vino acompañada por algunos interesantes cambios biográficos. En la primavera de 1904 se instaló definitivamente en París. Había residido durante los últimos años entre esta ciudad y Barcelona, con breves periodos en otros lugares (Madrid, Málaga, Horta...). Lo importante es que ninguna ciudad concreta de su país natal volverá a ser para él un punto de referencia ideal: Pablo Picasso (ya no emplea el apellido paterno) será en lo sucesivo un pintor «español» en París, sin la inevitable referencia local (catalana) que había venido teniendo hasta entonces.

Seguía, de momento, rodeado de compatriotas. Uno de ellos, el pintor Paco Durio, le traspasó un estudio en el barrio de Montmartre: número 13 de la Rue Ravignan. Se trataba de un ático destartalado en un inmueble de madera, sin ninguna comodidad. El frío invernal era casi imposible de combatir, y cuando soplaba el viento las tablas chirriaban, como si todo se fuera, de un momento a otro, a deshacer. Pero los camaradas del lugar iban a ser inmejorables: a los amigos españoles como Ricardo Canals, Manolo Hugué y Ramón Pichot se sumarán pronto otras figuras importantes de la cultura francesa de vanguardia: el poeta Max Jacob, en primer lugar; él bautizó el edificio donde vivía y trabajaba Picasso con el nombre de *Bateau-Lavoir* (barco lavadero, una alusión a las barcazas de ese tipo que había en el Sena), y le favoreció los contactos con André Salmon (que llegó a vivir en el mismo inmueble) y con Guillaume Apollinaire.

Las compañías femeninas, en cambio, las conseguía Pablo fácilmente, sin ninguna ayuda exterior: en el verano de ese año mantuvo relaciones con una muchacha llamada Madeleine, la cual le sirvió de modelo para algunas obras de su nueva etapa, y ya en el otoño se encontró con Fernande Olivier. Esta joven «liberada», alta y elegante, que trabajaba como modelo para muchos artistas de Montmartre, habría de ser su pareja oficial durante los próximos siete años. Ella ejerció un benéfico papel estabilizador en la vida de Pablo, tan propenso siempre a la turbulencia y al exceso. Fernande acabó con su melancólica tristeza adolescente, lo cual se notó inmediatamente en las pinturas de la *etapa rosa*. También es difícil imaginar, sin la presencia de esta mujer, la serenidad y reflexión requeridas por las investigaciones del cubismo analítico, como veremos más adelante.

Esta nueva secuencia en la carrera de Picasso posee un claro acento optimista, positivo: ahora pinta maternidades (mujeres y niños) y hermosos desnudos. Algunos de estos últimos poseen un *voyeur* incorporado, como si se tratara de un doble imaginario del espectador. En la acuarela conocida con el nombre de *Contemplación* (1904) hay un autorretrato del pintor, sentado, observando a una figura femenina semidesnuda que duerme confiadamente sobre un modesto lecho. Este magnífico apunte autobiográfico tiene su importancia porque inaugura en nuestro artista la tendencia a desvelar con su arte retazos de su propia intimidad. Picasso conmueve siempre porque abrió de par en par, no sólo las puertas de su alma, sino las urgencias de su cuerpo: como un antiguo monarca absoluto, también él decidió exhibir, ante todos los espectadores-súbditos, sus más íntimos secretos de alcoba.

No es Picasso, ciertamente, el hombre con un bebé que mira atentamente a la magnífica mujer desnuda que se lava y se peina en el cuadro *La familia del Arlequín* (1905), pero sí es su «alter ego» metafórico, y también, por extensión, el de cualquier espectador. He aquí a una familia feliz: la mujer se gusta a sí misma, y el hombre la desea mientras sostiene en brazos al fruto de su relación. ¿Cómo no ver ahí el trasunto idealizado de su propia vida? Faltaba el hijo, anhelado infructuosamente, al parecer, por Fernande y Pablo. Sólo más tarde, con otras mujeres, lograría el artista la descendencia biológica que no pudo darle su amante de Montmartre.

Sabemos además que el mundo de los arlequines, acróbatas, payasos y saltimbanquis, ejercía una intensa fascinación sobre todo el grupo del Bateau-Lavoir. Muy cerca, en las faldas de Montmartre, estaba el circo Médrano y a él acudían todos ellos casi a diario. Aquellos jóvenes poetas y pintores mantuvieron una relación íntima y constante con los nómadas circenses, y es de suponer que llegaran a idealizar sus condiciones de vida y de trabajo. Pablo Picasso debió ver el circo como una metáfora del universo del arte: allí se representan los sentimientos y pasiones pero nada de eso es necesariamente «la verdad»; sus actores, errantes y desarraigados, al margen de los valores burgueses, podían encarnar bien su ideal de la libertad. No es extraño que los pintara una y otra vez, solitarios o en grupo, en actitudes muy variadas.

Picasso parece haber buscado expresamente la dificultad. Los tonos predominantes son cálidos, como en los otros trabajos coetáneos, pero los numerosos bocetos preparatorios muestran su deseo de hacer algo distinto que rompiera con sus propias fórmulas. En los primeros cuadros de la época rosa había continuado ofreciendo una bonita galería de seres estilizados, deudores todavía (aunque con otro espíritu) de la estética del *art nouveau* y de la influencia de El Greco que se apreciaba en la época azul. En el lienzo conocido con el nombre de *Familia de saltimbanquis* (1905), en cambio, se esforzó por que las figuras, mucho más rechonchas, no expresaran sentimiento alguno. Cada uno de los personajes mira hacia un lugar diferente y ninguno parece dirigirse al espectador. No hay pinceladas largas sino borrones de color casi plano aunque de contornos imprecisos. Las viejas influencias de Van Gogh y Toulouse Lautrec son sustituidas por la frialdad de Cézanne.

Picasso luchaba ya, claramente, contra las adherencias emocionales del simbolismo finisecular. La pintura empezaba a ser un asunto «intelectual». Esto se intensificó cuando empezó a imitar algunos aspectos de ciertos pintores renacentistas como Piero della Francesca. Hay cuadros de fines de 1905 y de 1906 donde vemos grupos humanos con sólidas figuras de frente y de perfil, como formando disposiciones prismáticas imaginarias (*Las tres holandesas*, *El aseo*, *Muchacho desnudo*, etc.). Nuevas inquietudes estaban conquistando su espíritu. Picasso no lo podía saber entonces pero se estaba preparando para uno de los saltos artísticos más trascendentales de la historia de la pintura universal.

## 6. Las señoritas de Aviñón

En el verano de 1906 Picasso volvió a Barcelona con Fernande y casi inmediatamente se instalaron en el pueblecito pirenaico de Gósol. Era un lugar remoto y primitivo. Carecía de cualquier comodidad y, si hemos de creer lo que Fernande contaba a Apollinaire en una larga carta escrita desde allí, la alimentación resultaba deplorable. Todo indica que el artista quería encontrarse con lo originario y ancestral: siguiendo la senda trazada por los grandes héroes de la generación anterior (Van Gogh, y especialmente Gauguin), también Picasso buscaba su propio Tahití o su Bretaña particular. Por aquellas aldeas del Pirineo catalán abundan las iglesias con buenos restos románicos, un arte que siempre le fascinó y que le estimulaba ahora en el cambio de rumbo que empezaba a atisbar.

En Gósol pintó algunas figuras con rostros (cejas y ojos) limpiamente geometrizados, y un gran lienzo, *El ha-*

*rén*, que preludiaba, por su temática y composición, a *Las señoritas de Aviñón*. Había en estos trabajos algo salvaje y brutal pugnando por expresarse, una extraña insinuación que se iba a hacer explícita con toda crudeza en París, durante el otoño de ese año y en la primera mitad de 1907.

Muy significativo fue el modo de terminar el *Retrato de Gertrude Stein*, que había empezado unos meses antes: nada más volver de Gósol convirtió la cara de su modelo en una especie de máscara, claramente inspirada en las esculturas ibéricas. Es evidente el contraste entre el tratamiento suelto (todavía «rosa») de casi todo el cuadro, y la superficie pastosa, densa (casi esculpida con el pincel), de ese rostro inexpresivo y enigmático. Nada más opuesto a la complacencia con los modelos que se espera de cualquier retratista tradicional. Pero pensemos en otra posibilidad: Stein, en alemán, significa piedra. ¿Jugó Picasso con la idea de hacer un retrato-emblema, una más en la larga serie de alegorías que jalonan su carrera?

Estaba a punto de ejecutar *Las señoritas de Aviñón*, no lo olvidemos, que *sí* es una de las composiciones moralizadoras más importantes de toda la historia de la pintura universal. Para entender su génesis y significado conviene recordar algunas anécdotas de esos primeros meses de 1907. A principios de marzo Picasso compró a Géry-Piéret, secretario de Apollinaire, dos pequeñas esculturas ibéricas que habían sido sustraídas del Museo del Louvre. Es éste un episodio oscuro, pues no sabemos si el artista español ignoraba la procedencia ilícita de su adquisición. En cualquier caso, es evidente que estaba fascinado por la simplicidad ancestral de estas manifestaciones artísticas. ¿Se vio Picasso a sí mismo como un nuevo artista «ibérico», heredero legítimo de sus remotos compatriotas peninsulares? Casi por las mismas fechas recibió la influencia de las máscaras africanas y oceánicas.

Estas cosas estaban presentes en el ánimo de Picasso pero no tenían por qué conducir, necesariamente, a *Las señoritas de Aviñón*, ese cuadro revolucionario en el que trabajó febrilmente desde finales de abril a principios de julio de 1907. Los primeros bocetos mostraban una curiosa escena de burdel: rodeados de mujeres desnudas había dos marineros; uno de ellos parecía entrar en la estancia con una calavera en la mano. Se diría que estaba concibiendo una especie de «memento mori» en la tradición barroca, con la irrupción súbita de la muerte en el lugar del placer. No es imposible que Pablo estuviera evocando de nuevo a su amigo Casagemas, y a sus vanos intentos por hacerle olvidar el infortunio amoroso mediante sus visitas a los burdeles de Málaga y Barcelona.

En el cuadro final quedaron las cinco mujeres de algunos estudios preliminares pero desaparecieron los «clientes» masculinos. Las dos figuras centrales, con sus posturas insinuantes, miran fijamente al espectador, como si quisieran dejar muy claro quién es, y dónde está, ese *voyeur* deseante que Picasso incorporó a sus obras en tantas otras ocasiones. Seguía en esto la senda de Manet, cuya *Olimpia* había escandalizado a la buena sociedad burguesa decimonónica por convertir a los espectadores del cuadro en solicitantes implícitos de la prostituta que aparecía ante sus ojos. Estas dos mujeres, por cierto, parecen bastante clásicas comparadas con las demás, y muestran bien la persistente influencia del arte ibérico.

A la izquierda hay otra mujer de perfil que parece entrar en la estancia mientras levanta una cortina con su brazo extendido. Eso mismo está haciendo, en sentido contrario, la figura superior derecha, y es en este momento, al abrirse el telón, cuando la quinta mujer, sentada de espaldas, vuelve violentamente su rostro hacia el espectador. Se trata, pues, de un *tableau vivant* de burdel, semiteatral. Un súbito desvelamiento de algo «apetitoso», como lo sugiere la mesa con frutas del vértice inferior, en primer plano. Doble metáfora, pues, de la vehemente irrupción del placer carnal y del placer de la mirada, del *cuadro* erótico y del pintado por el artista.

La influencia de la escultura africana ha sido señalada en numerosas ocasiones, y es muy evidente en la mujer de la izquierda y en los rostros de las dos mujeres de la derecha. Las pinceladas, violentísimas, muestran lo mucho que se alejaba Picasso de sus etapas anteriores. En tres de estos cinco rostros vemos un artificio de interesantes consecuencias posteriores: los ojos están de frente y las narices de perfil. No es ésta, pues, una estilización de la mirada fotográfica sino algo distinto, más conceptual: las cosas aparecen disociadas para satisfacer una exigencia de la mente. La idea del cuadro como una totalidad unitaria, vigente en el arte europeo desde el Renacimiento italiano, cede el puesto a una visión del mundo con muchos puntos de vista, fragmentada.

*Las señoritas de Aviñón* reforzaba esta sensación mediante un descoyuntamiento general de los cuerpos, pero también del espacio circundante. Una maraña de líneas rectas y ángulos agudos hace que la composición pueda entenderse como una malla de triángulos irregulares. Las masas de color se distribuyen de modo aleatorio: no son tintas planas pero tampoco modelan los cuerpos, al estilo académico. Todo esto acarrea la impresión de hallarnos más ante un bajorrelieve que ante la ventana ideal de los renacentistas, abierta al espacio infinito.

Picasso dejó de trabajar en este cuadro a principios de julio de 1907, y aunque no fue exhibido en público hasta 1916 (en ese momento André Salmon le dio el título, aludiendo a un prostíbulo de la calle barcelonesa de Avinyó), muchos de sus amigos acudieron ansiosamente al estudio para verlo y comentarlo. Quedaron estupefactos, y no faltó quien pensó en un lamentable ataque de locura. ¿Se colgaría Pablo delante de su «obra maestra fallida», como los pintores fracasados descritos en las novelas de Zola y de Balzac?

Nada más lejos de la realidad. Es cierto que el salto había sido demasiado grande, y el mismo Picasso necesitó un tiempo para sacar todas las consecuencias que se derivaban de su hallazgo. Pero casi inmediatamente aparecieron imitadores de esta pintura revolucionaria. Georges Braque fue el más importante de todos ellos: su amistad durante unos años con el artista español fue tan cerrada, y tan estrechos los contactos artísticos entre ambos, que no es posible atribuir el desarrollo del cubismo a ninguno de los dos en solitario.

## 7. *Del cubismo analítico al cubismo sintético*

Lo que Braque y Picasso hicieron entre 1908 y 1914 constituye una de las hazañas más prodigiosas de toda la historia del arte: casi sin proponérselo destruyeron la concepción del espacio visual que había estado vigente en el mundo desde el quattrocento italiano. Se trataba al principio de digerir, artísticamente hablando, el sentido de *Las señoritas de Aviñón*. Esto le hizo a Picasso atravesar un «periodo negro» durante el cual pintó muchas figuras geometrizadas, claramente deudoras de la estatuaria africana, con una gama cromática muy oscura (ocres, sienas, negros...). Braque, mientras tanto, ejecutó sus primeros paisajes geometrizados (llenos de «cubos», como dijo luego la crítica), reduciendo drásticamente el brillante colorido *fauve* que había utilizado hasta entonces. La sintonía entre ambos pintores empezaba a ser palpable.

Pero lo que los historiadores del arte conocen con el nombre de *cubismo analítico* no surgió, en realidad, hasta fines de 1909. Este otro salto artístico se produjo nuevamente en España: Picasso y Fernande pasaron el verano de ese año en el pueblo de Horta de Ebro, en el límite entre Aragón y Cataluña, y allí pintó una interesantísima serie de paisajes exclusivamente descriptivos, de una gran serenidad: *La fábrica*, *Casas en la colina*, *El depósito de agua*, etc. La ausencia en estas obras de figuras humanas permitió al artista abandonar momentáneamente las complejas implicaciones emotivas e ideológicas presentes en otros trabajos anteriores para concentrar sus esfuerzos en los aspectos técnicos y visuales de la representación.

Se diría que Picasso «racionalizaba» las vistas de Cézanne. Los límites entre masas de color eran ahora líneas rectas, y los volúmenes producían ya la sensación de poseer una tridimensionalidad engañosa que parecía ligada a una extraña transparencia. También el juego cromático era apagado, reduciéndose a una gama de grises, ocres y verdes oscuros. Con la misma técnica hizo también bodegones y algunos retratos de Fernande, lo cual era mucho más atrevido todavía. Los rasgos anatómicos, en efecto, al descomponerse en planos independientes, desbaratan arbitrariamente las sensaciones de profundidad ilusoria: una parte de la mejilla, pongamos por caso, puede parecer más próxima al espectador que cierta zona de la nariz, que sabemos en realidad mucho más cercana, etc. El cuadro aparece así como un bajorrelieve imaginario, con todas sus zonas «al alcance de la mano», como sugería Braque para sus propios trabajos muy poco después.

Las obras pintadas desde 1909 a 1911 ilustran interesantes conflictos de naturaleza visual: la superficie de los lienzos es muchas veces vibrante, con pinceladas muy cortas al estilo puntillista, pero el color gris-verdoso niega tajantemente la tradición colorista del neoimpresionismo. Los planos o manchas cromáticas (más o menos geometrizadas) no siempre se adaptan a las líneas del dibujo. Las cosas aparecen así fragmentadas en una multitud de pequeñas facetas de apariencia cristalina. El cubismo analítico es una metáfora óptica: se podría decir de él que provoca una refracción de la realidad.

Pero no se murió de hambre Picasso al seguir una vía tan radical, pues contó con el apoyo de viejos marchantes como Ambroise Vollard, y de otros nuevos como los alemanes Daniel-Herry Kahnweiler y Wilhelm Uhde. De todos ellos hizo, en 1910, estupendos retratos analíticos. No sabemos si estos personajes y sus clientes burgueses comprendían bien tales obras, pero la fama anterior del artista era ya un baluarte inexpugnable, como lo reconoció el propio Picasso muchos años más tarde: «Yo he querido demostrar que se puede tener éxito en todo y a pesar de todo, sin comprometerse en nada. ¿Sabe una cosa? Cuando era joven mi éxito era mi defensa. Las épocas rosa y azul fueron los biombos detrás de los que me encontraba seguro.»

Y esa seguridad explica el carácter sistemático y la coherencia de sus investigaciones plásticas, las cuales parecieron desarrollarse durante aquellos años de un modo autónomo, con bastante independencia de los avatares biográficos del creador. Los temas cultivados pueden parecer banales: guitarristas y otros músicos (siempre con sus instrumentos), figuras humanas aisladas, algún retrato, y un número creciente de bodegones. Es obvio que la neutralización del color y la del asunto discurrían en paralelo, como si Picasso (acompañado entonces por Braque) quisiera alcanzar una especie de «grado cero» de la pintura. Este ascético camino condujo, casi sin querer, a los hallazgos trascendentales del *cubismo sintético*.

Observemos la *Naturaleza muerta con silla de rejilla*, pintada en mayo de 1912: el formato ovalado de este bodegón lo había venido utilizando más o menos sistemáticamente desde el año anterior. ¿Aludía a la mesa (de café, o bien un *guéridon*) donde se situaban los objetos representados? ¿O es en realidad una reproducción de los típicos espejos ovales de la época y así se explicaría en parte el aspecto «cristalino» de todo lo que se ve? Si aceptáramos esto último no podríamos entenderlo de un modo literal, pues *no* están al revés las tres primeras letras de «JOUrnal» (periódico), bien visibles en el cuarto superior izquierdo. Los caracteres de imprenta, aislados o formando frases inteligibles, habían aparecido en las obras cubistas a fines del año anterior, y aunque eran elementos pintados acentuaban la ya muy elevada dimensión intelectual de estas pinturas.

¿Y no resulta curioso que su utilización coincida con una importante crisis sentimental en la vida de Pablo Picasso? En el otoño de 1911, en efecto, conoció a Eva Gouel (compañera entonces del pintor polaco Louis Marcoussis), y muy pronto iniciaron una relación amorosa que habría de durar hasta que ella murió de tuberculosis el 14 de diciembre de 1915. Eva empezó a figurar en algunos cuadros con una frase en clave, «Ma jolie» (mi linda), lo cual es importante porque revela que la pintura de Picasso volvía a adquirir imperceptiblemente una nueva coloración sentimental e ideológica. ¿Son jeroglíficos privados todos los cuadros con textos pintados en esta época? ¿Hasta qué punto se deleitaba Picasso con los dobles sentidos de las imágenes cubistas y de algunas frases incorporadas a la representación?

Un caso curioso nos lo ofrece una serie de tres bodegones en los que se lee, entre otras cosas: «Notre avenir est dans l'air.» Muchos han pensado que se trataba de una alusión a la potencia aérea francesa de aquella época, pero en la primavera de 1912, cuando Picasso pintó estos cuadros, bien podía estar pensando en una traducción literal de la frase al español, su lengua materna: «Nuestro porvenir está en el aire». ¿El de quién? ¿Por qué no el suyo con Eva, en el doble sentido (francés y castellano) de elevación a las alturas y de inseguridad? ¿O alude a su tambaleante relación con Fernande? ¿Y por qué no aceptar todas las lecturas, sin excluir la patriótica «oficial» aceptada normalmente en el país donde vivía?

Todas estas cosas indican que el cubismo ha entrado ya en la fase *sintética*, y que ésta no es una simple evolución de la etapa *analítica* sino algo diferente. Lo más importante de la *Naturaleza muerta con silla de rejilla* es, pese a lo dicho, otra cosa: Picasso renunció a pintar el respaldo del asiento y se limitó a encolar sobre la superficie del lienzo un hule con la imagen impresa que le interesaba; también sustituyó el marco habitual por una soga de cáñamo. Había nacido el *collage*. Esta innovación es tan importante que cambió radicalmente el curso de la historia del arte: el cuadro dejaba de entenderse como «pintura» en el sentido tradicional (resultado de un trabajo con pinceles y colores) y pasaba a ser una especie de montaje, comparable al cinematográfico o a los ensamblajes de muchos productos industriales.

Los papeles pegados a partir de entonces se concebían como grandes planos de color relativamente uniforme, y ello hizo desaparecer el minucioso facetado analítico de 1910-1911. Como la obra se hacía con elementos heterogéneos, podían recuperarse en parte los sentidos fragmentarios que figuraban en páginas de periódicos, etiquetas, partituras, etc. El azar llegaba a intervenir de un modo positivo, y de ahí que podamos considerar también a Picasso como uno de los padres espirituales del dadaísmo.

Pero si grande fue el impacto del cubismo sintético en la pintura, mayor lo fue todavía en la escultura. Ya a fines de 1912 pudo ver Vladimir Tatlin en el estudio parisino de Picasso algunas construcciones tridimensionales hechas con materiales humildes y elementos encontrados: cartulina, chapa metálica, alambres, etc. Se conservan algunas *guitarras* de ese momento en las que se ha hecho realidad el mismo descoyuntamiento de las superficies que había aparecido antes, de un modo más o menos metafórico, en el plano del cuadro. Se diría que son objetos «reventados»: el interior se hace visible en el exterior, o mejor, no hay fronteras entre las dimensiones oculta y envolvente de la realidad.

Algunos ensamblajes de esos años fueron fundidos en bronce y luego Picasso los pintó, como ocurrió con las diferentes versiones de *La copa de ajenjo* (primavera de 1914): la forma de cada copia era la misma, pero el coloreado al óleo, siempre diferente, las convertía en ejemplares únicos.

Ese año estalló la Primera Guerra Mundial y muchos poetas y artistas de vanguardia tuvieron que marcharse al frente. La asociación estética entre Picasso y Braque acabó definitivamente cuando éste fue movilizado. El artista español, ciudadano de un país neutral, pudo quedarse en París, trabajando y especulando sobre las hipotéticas consecuencias del cubismo para la vida cotidiana del futuro. Seguramente le parecieron inmensas, como lo atestigua una carta dirigida al ocasional militar Apollinaire, y en la cual le sugería algunas aplicaciones bélicas para la nueva pintura: «Voy a darte una idea muy buena para la artillería —le escribe el 7 de febrero de 1915—. La artillería no es visible más que para los aeroplanos. Como los cañones, incluso pintados de gris, conservan su forma, habría que embadurnarlos con colores vivos y en trozos de rojo, amarillo, verde, azul y blanco en [con aspecto de] arlequín.» No parece que el intrépido poeta tuviera poder militar suficiente como para aprovechar esta idea, pero sí la promovieron eficazmente otros seguidores del cubismo, y fueron ellos, artistas avanzados, los verdaderos inventores de la pintura de camuflaje militar...

## 8. *¿Regreso al orden?*

La Primera Guerra Mundial acabó con el universo decimonónico e inauguró el dramático siglo xx. Nunca la mecanización bélica había conseguido una cosecha tan abundante de muertos en los campos de batalla, y nunca antes el patrioterismo nacionalista había alcanzado unas cotas tan altas de irracionalidad. Picasso pasó una mala racha personal: sus amigos se habían ido al frente, y Eva, tuberculosa, murió poco después; por si fuera poco, hubo de soportar comentarios insultantes por parte de algunos parisinos incapaces de comprender por qué no habían movilizado a un joven vigoroso como él. Las propiedades de sus marchantes alemanes fueron confiscadas, y no faltaron entonces las voces de quienes se apoyaron en eso para considerar al cubismo como un «estilo del enemigo». Esto último era manifiestamente injusto ya que dos de sus cuatro creadores principales (Braque y Léger) eran franceses y combatían contra los alemanes, y los otros (Picasso y Gris) eran españoles que simpatizaban con la causa francesa.

Lo importante es que se estaba insinuando así otro clima cultural. Nada más acabar la guerra, la vanguardia artística radical se desplazó a otros escenarios como Alemania, Rusia o Nueva York. París retrocedió hacia posiciones más conservadoras, como si la mayor parte de los artistas e intelectuales obedecieran durante algún tiempo a la insólita consigna (explicitada algo más tarde por Cocteau) del «regreso al orden». Se suponía que la efervescencia renovadora de 1907-1914 había sido una especie de enfermedad juvenil, bastante ajena, por otra parte, a la *verdadera* tradición francesa. Con la victoria habría llegado la edad adulta y una dosis razonable de sensatez. Pero lo más curioso de todo es que se atribuyera a Picasso, otra vez, el liderazgo de esta nueva moda «neoclásica».

Es cierto que algunos personajes de su entorno cambiaron durante aquellos años de un modo sorprendente: el 18 de febrero de 1915 Max Jacob se hizo bautizar y eligió como padrino al agnóstico declarado que era Pablo Picasso. Ésta fue una más entre las diversas «conversiones» de antiguos vanguardistas que se produjeron por entonces. Apollinaire, heroificado por una herida de guerra (como Braque), hizo todo lo posible por lograr los más altos honores oficiales del Estado francés, antes de morir el 9 de noviembre de 1918. ¿Cómo habría de ser Picasso una excepción? Nuestro artista cambió de estilo, o mejor dicho, reorientó el sentido de sus investigaciones cubistas y volvió a desplegar su sempiterna capacidad para simultanear varios lenguajes expresivos. Uno de ellos, magnificado por los críticos neoconservadores del momento, hizo creer a muchos que el antiguo creador del cubismo había renegado de su invención.

No era verdad. Desde 1915 algunas *pinturas* de Picasso demuestran que había recogido muy bien las lecciones del *collage:* los planos son muy grandes y están moteados a veces con puntos cromáticos, lo cual da a estas obras una gran intensidad superficial ilusoria. Hay un leve sentido del humor, perceptible en los títulos (*Hombre con una pipa*, *Hombre ante una chimenea*...). En ciertas ocasiones, como en el gran lienzo de dos metros de altura titulado

*Hombre reclinándose sobre una mesa* (1916), rozaba la abstracción geométrica. Yo creo que esta es una nueva modalidad en la evolución del estilo, y la llamaremos, para distinguirla de las otras, *cubismo decorativo*. Su promotor exclusivo es Picasso (no olvidemos que Braque se había ido al frente), aunque está presente también la emulación recíproca, a una cierta distancia, con su compatriota Juan Gris.

Característico de esta fase fue el deseo de superar los ámbitos tradicionales de la pintura o la escultura para colonizar nuevos territorios expresivos. Recordemos la propuesta picassiana de pintar los cañones como si fueran arlequines cubistas. Éste es el sentido de sus trabajos para los ballets de Serge Diaghilev, el más importante de los cuales, *Parade*, se estrenó en París el 18 de mayo de 1917. Se trataba de una «obra de arte total» que implicó la colaboración de músicos, coreógrafos y escritores de vanguardia, pero aún así lo que más llamó la atención fueron los decorados y los trajes que diseñó Picasso. Por primera vez, unas «esculturas» cubistas se movían y danzaban: figuras como el *Manager francés* o el *Manager americano* (reconstruidas recientemente con la ayuda de antiguas fotografías) poseían una admirable calidad visual y un jovial humorismo. ¿Se burlaba Picasso de la solemne seriedad, casi religiosa, con la que algunos seguían la senda del cubismo? ¿No estaba anticipándose acaso a la utilización de atuendos de vanguardia en las representaciones teatrales de los constructivistas rusos, de la Bauhaus, o en las veladas dadaístas? Apollinaire percibió el interés de esta aportación al escribir en el programa de la obra que los diseños de Picasso y la coreografía de Massine alcanzaban un «superrealismo [*surréalisme*] que es la manifestación de un nuevo espíritu».

No vemos en estas obras ningún descenso de calidad. A

veces hay interesantes yuxtaposiciones de modos de visión, como cuando un bodegón cubista se sitúa ante una ventana abierta a un paisaje realista, más o menos tradicional. En otras ocasiones el vocabulario cubista es radicalmente ortodoxo. Tal es el caso de *Los tres músicos* (1921). Picasso debió conceder mucha importancia a esta gran obra de formato casi cuadrado (mide unos dos metros de lado), hasta el punto de que hizo dos versiones diferentes de la misma (MOMA de Nueva York y Museo de Filadelfia). En ambas vemos a tres personajes disfrazados de Pierrot, Arlequín y de fraile, tocando diversos instrumentos musicales. Se ha pensado que podrían representar al viejo trío amistoso de los primeros tiempos del cubismo: Picasso, Apollinaire y Max Jacob (este último sería el eclesiástico, aludiendo así a su reciente conversión al catolicismo). ¿Un tributo nostálgico al pasado? ¿Evocación semi-onírica de tres caracteres casi antagónicos aunque unidos, durante un tiempo, por la misma partitura?

Ya se había casado entonces con Olga Koklova, una bailarina rusa de la compañía de Diaghilev. Aquella boda, celebrada el 12 de julio de 1918 en la iglesia ortodoxa de París, fue vista por muchos como una claudicación de Picasso ante los valores de la sociedad burguesa. Su esposa era una «rusa blanca», con ínfulas de gran señora, y su vínculo legal con ella lo establecía en el momento en que triunfaba la revolución soviética en el antiguo imperio de los zares. Ambos esposos llevaron durante algunos años una vida frívola, frecuentando sin reservas aparentes las fiestas de la buena sociedad. Picasso hizo entonces retratos realistas, bastante complacientes con sus modelos, y otros muchos cuadros con figuras macizas de claras evocaciones clásicas. Estos trabajos encantaron a los promotores de «la vuelta al orden», y de ahí deriva la leyenda de que el artista malagueño habría sido el principal responsable de aquel reflujo conservador.

No hay duda de que éste es el punto más débil de toda su carrera. Si no hubiera sido por la duplicidad, por esa extraordinaria capacidad para hacer a la vez cosas tan radicalmente distintas, se podría hablar de una decadencia temporal: Doctor Jekyll y Mister Hyde, amable neoclásico de día para complacer a Olga y a sus amigos bienpensantes, y cubista intransigente de noche para satisfacer anhelos artísticos profundos e insoslayables... ¿Era esto exactamente? No es justo olvidar la gran calidad de sus dibujos o de los retratos tradicionales de su mujer y de su hijo Pablo (nacido en 1921), aunque también es verdad que no habría pasado a la historia universal del arte si hubiera pintado *sólo* eso. Debemos reconocer que Picasso era él mismo siempre, aunque tal vez no en la misma medida. Viviendo con Olga, durante los primeros años de su matrimonio, descubrió algunos placeres ancestrales: la paternidad, la vida despreocupada en las playas del Mediterráneo... También ésta era una manera de sentirse *primitivo*, de regresar a los orígenes. Y algunos temas «neoclásicos», como los amantes dormidos o las mujeres en la playa, quedaron incorporados definitivamente a su repertorio, y reemergerán poco después en una clave (surrealista) mucho más inquietante y renovadora.

## 9. *El abismo surrealista*

La consigna reaccionaria de la «vuelta al orden» fue un episodio pasajero, y ya hemos visto cómo, en realidad, Picasso no abandonó nunca completamente los lenguajes de vanguardia. La *duplicidad*, esa mencionada capacidad para hacer, a la vez, una cosa y su contraria, explican por qué los surrealistas pudieron tomar como patrono tutelar al mismo campeón del neoclasicismo mediterráneo que habían aclamado, al acabar la Primera Guerra Mundial, sus enemigos naturales (burgueses y aristócratas relativamente sofisticados). Nunca se había conocido hasta entonces un fenómeno similar, y tampoco parece fácil que se vuelva a repetir: un único artista sirvió como portaestandarte de posiciones estéticas e ideológicas absolutamente irreconciliables.

Los surrealistas buscaban un universo completamente diferente: buceando en lo insondable del inconsciente pretendían encontrar las perlas secretas y puras de la creación poética. Nada, en principio, parecía prohibido, cuando se aspiraba a suprimir fronteras aparentemente infranqueables, como las que separan lo real y lo imaginario, la ley y el deseo, el crimen y el amor, etc. Como escritores practicaron inicialmente la «escritura automática», una técnica que pretendía abolir el discurso racional para buscar asociaciones de palabras y de ideas brotadas directamente del inconsciente.

¿Qué repercusiones tuvo todo ello en las artes plásticas? André Breton se interesaba mucho por los medios expresivos de naturaleza visual, y muy pronto empezó a publicar por entregas los capítulos de su libro *El surrealismo y la pintura*. Pero ni él ni sus compañeros se pronunciaron claramente acerca de si se debía o no adoptar literalmente el «automatismo» cuando se trataba de llenar un lienzo o de dar forma a la materia tridimensional. En cualquier caso, sí está claro que Picasso fue para ellos, desde el primer momento, el modelo a seguir, como si dieran a entender que el genial artista malagueño había creado ya, antes de que apareciese públicamente el movimiento, una auténtica pintura surrealista. La reproducción de *Las señoritas de Aviñón* se publicó en seguida en *La révolution su-*

*rréaliste*, y fue André Breton el que más contribuyó a la reivindicación de la importancia histórica de ese cuadro, logrando, con sus gestiones insistentes, que lo adquiriese el modisto y coleccionista Jacques Doucet. Los surrealistas adoptaron en bloque al cubismo como algo propio, pero el hecho de que ellos constituyeran un *movimiento* y no un estilo, contribuyó a fomentar la práctica de diversos lenguajes y modos expresivos. ¿No resultaba también esto admirablemente adecuado para el proteico Pablo Picasso? ¿No podían parecer así igualmente «surrealistas» tanto algunas de sus obras neoclásicas como otras cubistas?

Pero una cosa es que Breton y sus amigos adoptaran al genial artista español y otra que éste se considerase a sí mismo como uno de ellos. Picasso se mantuvo siempre al margen de los grupos semiorganizados de la vanguardia y eso le permitió negar más tarde sus evidentes conexiones ideológicas con el surrealismo. Pero ¿es posible imaginar este movimiento sin la obra abrumadora de nuestro gigante artístico?

No es ésta una pregunta de exclusivo interés retrospectivo, pues ya en el número de julio de 1925 de *La révolution surréaliste* publicó André Breton una declaración significativa: «Consideramos [a Picasso] como uno de los nuestros, aún cuando es imposible —y sería por lo demás imprudente— aplicar a sus procedimientos la crítica rigurosa que proponemos establecer en otros lugares. El surrealismo, si tenemos que establecer una línea de conducta moral, no tiene más remedio que pasar por donde Picasso ha pasado ya y por donde pasará en el futuro». En las mismas páginas aparecía la reproducción, ya comentada, de *Las señoritas de Aviñón*, y dice mucho de la agudeza de Breton el que junto a este cuadro emblemático, verdadera piedra angular de la vanguardia, apareciese otra obra reciente: *La danza*.

El original era un cuadro grande, de formato vertical (215 x 142 cm), cuyo asunto predominante lo constituían también un grupo de figuras femeninas desnudas, agitadas en un estrambótico frenesí. Aunque no trabajara Picasso aquí con el mismo ahinco que en su obra de 1907, tampoco se puede decir que fuera para él un trabajo más, ya que su elaboración le ocupó dos o tres meses de aquel año crucial de 1925. Mientras lo pintaba le llegó la noticia de la muerte de Ramón Pichot, un viejo amigo de su etapa del Bateau-Lavoir, y el artista decidió incorporar su perfil (o sombra funeraria) recortándose sobre la claridad del balcón derecho. ¿Qué representa, pues, esta pintura extraordinaria? Las tres bailarinas, con sus manos entrelazadas, están, al parecer, completamente desnudas (¿o lleva la de la izquierda unas enaguas transparentes?). Tampoco se hallan en un escenario teatral sino en una habitación burguesa, con paredes de papel estampado y un amplio balcón que se abre hacia el azul. ¿Vemos el mar o sólo el cielo? ¿Nos hallamos en un lujoso hotel de Montecarlo? Picasso visitó esta ciudad durante los meses de marzo y abril, en compañía de Olga y de su hijo, coincidiendo con las representaciones del ballet ruso. Hizo entonces una serie de dibujos clasicistas representando bailarinas, y todo parece indicar que el gran lienzo coetáneo es una contrarréplica agresiva y vehemente a estas otras obras tan complacientes.

Picasso admiró siempre mucho a Matisse, y con él mantuvo, durante toda su vida, un extraño pulso creativo: es muy probable, pues, que tuviera en su mente también las obras con el mismo asunto ejecutadas por éste unos tres lustros antes. Lo que lograba ahora el malagueño era mucho más inquietante: los planos de color son amplios y bien proporcionados, pero la violenta distorsión de los cuerpos, el humor cruel que destila la representación, nos hacen pensar que se ha dado un importante paso adelante respecto al cubismo decorativo que se percibía todavía en las versiones de *Los tres músicos* pintadas en 1921.

Observemos la figura de la izquierda, con su boca agresiva y vertical, como una ambigua y amenazante *vagina dentata*; uno de sus pechos parece ser, a la vez, un extraño ojo vertical. El mismo motivo se repite insistentemente en otros lugares de la misma pintura (cara de la figura central, en el centro de la bailarina de la derecha, en la mano de ésta que se enlaza con la del extremo opuesto...), y en otros muchos cuadros y esculturas de aquellos años (*El beso*, *El pintor y la modelo*, *Figura*, etc.).

He aquí ya plenamente desarrollado el principio de la imagen múltiple, típico del surrealismo, y que culminará con el «método paranoico-crítico» de Salvador Dalí. Una figura esconde varias imágenes latentes: es una cosa y otra al mismo tiempo. La identificación tácita entre el ojo, la vagina y la boca tiene importantes justificaciones psicoanalíticas, y nada podía encantar más a los surrealistas que esta vigorosa expresión pictórica de los temores y anhelos del inconsciente profundo. Picasso alumbró antes que nadie al mito vanguardista de la mujer como ente tenebroso y luminoso a la vez, fuente de éxtasis y de tragedia, mantis religiosa, amante insaciable y devoradora del objeto de su amor.

¿Influyeron en ello sus tormentosas relaciones conyugales? Se sabe que ya no era un esposo feliz el hombre que pintaba *La danza*. Olga se había vuelto irritable y recelosa. Picasso hubo de padecer en lo sucesivo, durante muchos años, las lamentables consecuencias de una transmutación del sentimiento amoroso. La mujer que le había proporcionado momentos de satisfacción inenarrable era ahora fuente de desgracia y amargura. Pero no se puede decir que este cuadro sea un mero desahogo o un exorcismo de carácter sentimental autobiográfico: el difunto Ramón Pichot «entra» en la representación por la derecha, como lo hacía el marinero con la calavera en algunos bocetos preparatorios de *Las señoritas de Aviñón*. De nuevo es la sombra del más allá invadiendo el espacio del placer. Obra moralizante, pues: frenesí vital pero también danza de la muerte, contacto tangible con lo abismal.

No es aventurado considerar *La danza* como el punto de arranque de una nueva etapa. Cinco meses después de la terminación de este cuadro, Picasso figuró en la primera exposición pictórica del surrealismo (noviembre de 1925), y es de suponer que este nuevo emplazamiento de su obra estimulara en él la vertiente más agresiva y experimental. Su trabajo público seguía escandalizando, como lo prueban las dificultades surgidas con su proyectado monumento a Guillaume Apollinaire. La maqueta definitiva fue elaborada en el estudio de Julio González durante el mes de octubre de 1928, algo que se explica por el nuevo material empleado: varillas de hierro. Picasso no conocía los procedimientos de la soldadura autógena y recabó por ello la ayuda de su compatriota, que había trabajado previamente en talleres industriales. Este modelo de *Monumento a Apollinaire* fue el resultado de intensas reflexiones plásticas (se conservan numerosos bocetos preparatorios y tres variantes construidas), y se ha dicho que con él habría inventado nuestro artista el «dibujo en el espacio». Es, en efecto, una especie de jaula intrincada construida con alambres formando figuras geométricas elementales (óvalo, rectángulo, triángulos...), las cuales se enlazan entre sí mediante otras varillas más finas. Una pequeña chapa circular en el vértice superior, a modo de cabeza, delata la naturaleza figurativa (antropomórfica) del conjunto.

Desde el punto de vista técnico estas tres obras filiformes son un desarrollo de la escultura-*collage* (también son «construcciones»), pero era revolucionaria la eliminación de los planos, su disolución en el aire donde se dibujan las líneas de la estructura. He aquí una escultura sin masa, ingrávida como un perfume o como una canción: ¿se puede uno imaginar algo más adecuado para exaltar la figura del poeta vanguardista que había inventado los caligramas?

Y sin embargo, esto no fue comprendido por los promotores del monumento. Parece que ellos querían algo más «heroico», en el sentido tradicional, de modo que la idea de Picasso se fue posponiendo indefinidamente. Pero no creo que fuera un mal síntoma este fracaso: empezaban los años treinta y nuestro artista, aunque ya cincuentañero, rico y famoso, seguía siendo el más rebelde y el más «joven» de la escena internacional. Nadie le superaba en capacidad inventiva, y a todos asombraba su insólita vitalidad personal.

Esto último tiene su importancia, pues no es fácil entender al Picasso surrealista sin mencionar los grandes amores de aquellos años: Marie-Thérèse Walter y Dora Maar, fundamentalmente (aunque hubo otros «episodios menores» muy interesantes como su relación con Nush Eluard). La primera de ellas era una cándida muchacha de diecisiete años cuando la encontró por primera vez, delante de las Galerías Lafayette, en enero de 1927. El artista se acercó a ella y le dijo: «Señorita, tiene usted un rostro muy interesante y me gustaría hacer su retrato. Yo soy Picasso.» Unos meses más tarde se iniciaría entre ellos una relación amorosa clandestina y prolongada. No hay duda de que Marie-Thérèse fue un refugio de paz y de intimidad, una gran fuente de placer y felicidad para aquel genio, tan atosigado en la vida pública por una fama desmedida como acosado por Olga en su propio hogar. Era el *amour fou* exaltado por sus compañeros de viaje surrealistas, algo excitante y peligroso, pues Picasso estaba legalmente casado y la chica era menor de edad.

En una litografía de 1928 aparece ya, por primera vez, su retrato (es un fragmento del rostro trazado con exquisita calidad, a «lo Ingres»), pero es a partir de 1931 cuando la imagen de Marie-Thérèse se multiplica en la pintura de Picasso. Se dice que el primer óleo de la misma es la *Naturaleza muerta sobre un velador* (pintado el 11 de marzo de 1931), un ejemplo perfecto de jeroglífico pictórico, o de doble imagen surrealista: todas las curvas sensuales de los objetos evocan las formas incitantes de la modelo escondida. Es evidente que tales obras (no es éste el único bodegón «humanizado») continuaban una tradición personal que él había iniciado unos veinte años antes, con aquellos cuadros cubistas que contenían mensajes amorosos secretos dirigidos a Eva Gouel. En la misma línea está la *Mujer con flor* (1932), que es, en realidad, una auténtica mujer-vegetal amable y gratificadora.

Pero la mayoría de los retratos son menos ambiguos: la chica posa ante el artista, vestida o desnuda, y muchas veces está dormida; el colorido es jugoso, destilando una alegría de vivir comparable a las mejores obras de Matisse.

Marie-Thérèse le dió a Picasso una hija en 1935, Maya (aunque su nombre real era María Concepción, para evocar como ya hemos dicho a la difunta hermana del artista). Aquel fue un año terrible para él: inmovilizado y deprimido por sus conflictos personales, incapaz de adoptar decisiones determinantes, dejó de pintar durante nueve meses haciendo sólo algunos poemas en la línea del automatismo propugnado por el primer surrealismo. Jaime Sabartés, viejo amigo de juventud, se vino a vivir con él y, en calidad de secretario y confidente, le ayudó a superar la crisis.

Un papel muy diferente representó para Picasso la fotógrafa Dora Maar, hija de un arquitecto yugoeslavo, criada en Argentina (hablaba español correctamente), amiga de los surrealistas, y que entró en su vida a principios de 1936. A diferencia de la rubia e instintiva Marie-Thérèse, Dora era morena, estilizada y muy sofisticada. De todas las mujeres del artista, ésta fue la única «intelectual». Su relación amorosa coincidió con la Guerra Civil española y con la Segunda Guerra Mundial, un periodo amargo y violento que obligó a concienciarse políticamente al bohemio anarquizante que había sido hasta entonces Picasso. Con Dora podía mantener intensas conversaciones sobre los grandes asuntos sociales, artísticos y culturales del mundo. Como personaje pintado va a representar en el conjunto de la obra picassiana un papel muy diferente al de su amante anterior: los colores de sus retratos son más ácidos y las facciones más angulosas. Dora fue la mujer vigilante. No era la amada que duerme sino la que sufre y llora.

10. *Irrupción de la historia:* Guernica

¿Cómo no reflejar inconscientemente las pulsiones de aquel tiempo de plomo y de ceniza? Es la era de la tragedia, la que culminará para Picasso con la Guerra Civil y con la elaboración de *Guernica*. Conviene decir, sin embargo, que los grandes episodios socio-políticos fueron asumidos por el artista como una especie de culminación de varias experiencias creativas convergentes. Insistiremos más tarde en esto, pero debemos adelantar ya que la guerra le permitió otorgar un sentido histórico (y moral) muy preciso a ciertos asuntos míticos, cultivados durante los años anteriores al amparo de una vaga poética surrealizante.

Empecemos con los *monumentos descarnados*. Durante su estancia en Cannes en septiembre de 1927, elaboró una serie fabulosa de dibujos a lápiz representando extrañas esculturas, con reminiscencias orgánicas. Los miembros están transmutados y los atributos sexuales (masculinos y femeninos) asumen dimensiones y apariencias monstruosas: protuberancias, duplicaciones, androginias... En algunos casos vemos también la ya comentada vagina-boca. Se diría que nos hallamos ante seres mineralizados y caprichosamente erosionados. ¿Carne deformada? ¿Huesos desgastados?

Estas invenciones (recogidas en el llamado *Cuaderno de bocetos número 95*) parecen haber sido el germen de numerosas pinturas realizadas en los diez años siguientes, y cuyo común denominador es la representación fragmentada (despedazada) del cuerpo humano, entendido éste como una agregación aparentemente azarosa de objetos más o menos redondeados. Muchos de estos entes se encuentran en la playa: bañistas como cantos rodados, pero también amantes entrelazados, como ocurre en *Figuras a la orilla del mar* (1931; Museo Picasso de París). Las extremidades de los seres que se encuentran en esta obra son agresivamente puntiagudas, como cuchillos amenazantes, algo que se aplica de un modo especial a sus raras lenguas de apariencia entomológica. ¿No son ya acaso las mismas que emergerán de las gargantas angustiadas en *Guernica*?

Una expresión más clara de la tragedia se manifestó en otros cuadros exclusivamente «pictóricos», en los que la sangre, la crueldad y la muerte juegan un papel preponderante. *La crucifixión*, pequeño óleo sobre madera contrachapada (fechado el 7 de febrero de 1930), es uno de ellos: los colores son hirientes, con una explosiva combinación de rojos, verdes, amarillos y violetas. En una mancha vertical blanquecina, en el centro de la composición, destaca el cuerpo exasperado de la Magdalena, delante de la cruz, con una boca desmesurada, expresando un angustiado lamento, o un pavoroso insulto, amenazante y devorador. Todo está descoyuntado, confundido. Es muy interesante tener en cuenta que la estructura compositiva (una especie de pirámide) y muchos elementos reaparecerán luego, convenientemente transmutados, en *Guernica*.

El mismo asunto de la Crucifixión (*«según Grünewald»*) lo retomó dos años después en una serie de dibujos a tinta china que los surrealistas se apresuraron a publicar en su revista *Minotaure*. No se trataba ya de mostrar el drama al desnudo, sino de presentarlo como una estructura geológica ancestral, ajena a la historia humana, que apela a los abismos insondables del inconsciente profundo.

Tampoco es ilustración histórica *Mujer con estilete (muerte de Marat)* (fechado el 25 de diciembre de 1931), pues el crimen político ha sido convertido aquí, más bien, en un acto de canibalismo sexual: la boca de la supuesta Charlotte Corday, gigantesca, está a punto de engullir la cabeza diminuta de Marat, como hace la mantis religiosa con el macho en el momento del acoplamiento. ¿Y qué broma es ésa de la bandera tricolor? ¿No se continúa la banda roja con el chorro irregular de sangre que sale del lugar donde la mujer ha clavado su estilete? ¿Es éste un puñal o un alfiler de entomólogo?

Pocos trabajos muestran tan claramente como éstos la total identificación de Picasso con la poética del surrealismo radical. Pese a los elogios y la amistad constante de André Breton, algunas de sus obras lo sitúan mucho más cerca del ala más dura del movimiento representada por seres tan irreductibles como Bataille, Masson o Dalí. Este último, vivificador del movimiento tras su incorporación al mismo en 1929, pensador importante (y no sólo pintor), dijo en un discurso de 1935: «Es muy posible que los críticos y los cantamañanas del país quieran explicarnos que la pintura de Picasso es una especie de magnífico ramo de flores elegante, decorativo, incorporado definitivamente al gusto de *Vogue*. No os lo creáis. La pintura sensacional de Picasso se parece más bien a un rabioso y auténtico toro, colosalmente podrido y realista, símbolo, esencia y sustancia de todo lo que de más oscuro y turbulento hay en las raíces más finas y profundas del espíritu humano, el "pensamiento subconsciente"; y, en verdad, creedme, el cubismo en este caso no es otra cosa que el hueso mismo de ese toro podrido, el hueso blanquísimo, el hueso que se ve...»

Ya sabemos que Salvador Dalí mencionaba lo del hueso porque estaba pensando en las obras «descarnadas» que hemos comentado antes, pero ¿a qué se refería cuando mencionaba al toro? A su iberismo, indudablemente, y a la gran afición andaluza de Picasso por las corridas. Como tema había aparecido alguna vez en su pintura (sobre todo en la lejana infancia malagueña), pero no se puede decir que el mundo de los toros fuera realmente importante para él. No olvidemos las penosas connotaciones folklóricas que tenía (y tiene todavía en gran parte) esta clase de pintura.

Pero en el mes de mayo de 1933 cumplió con el encargo de diseñar la primera portada de una nueva revista surrealista, *Minotaure*, y todo nos hace pensar que ello reorientó la temática de su obra hacia un ámbito que Picasso conocía y apreciaba mejor que ningún otro gran pintor de la escena internacional. Ese ser fabuloso de la mitología antigua, mitad hombre y mitad toro, va a ser para los amigos de Breton un símbolo de la fuerza instintiva del inconsciente. El artista español se lo apropiará inmediatamente identificándose él mismo con su poderoso impulso criminal y sexual, pero también con su ternura, con su sufrimiento telúrico y abismal. El minotauro es humano y animal a la vez, una síntesis de los dos principales actores antagónicos de la corrida de toros. Los numerosos cuadros, dibujos, y grabados que ejecutó Picasso durante los años treinta con este asunto demuestran su significado ambivalente: ¿bestia sanguinaria o desgraciado actor de un drama inexorable?

Parece que durante cuatro años (hasta la ejecución de *Guernica*) ese dilema no se pudo o no se quiso resolver. En la portada de *Minotaure* vemos a este mítico ser empuñando con fuerza un cuchillo lanceolado, como si afirmara sus poderes con vigorosa determinación. Al año siguiente pintó varios óleos representando corridas, y en las cuales, curiosamente, predominaba el despanzurramiento de los caballos por el toro o la agonía en solitario de este último. Nunca faltan los atributos de su masculina animalidad. Se repite también el asunto de la cabeza del caballo, inequívocamente fálica, elevándose hacia el cielo con su boca abierta para exhalar un último suspiro desgarrador. Es la muerte como metáfora del orgasmo (o viceversa), como proclamó tantas veces en sus textos el surrealista disidente Georges Bataille.

Numerosas (y muy significativas) son las variantes temáticas en torno a estos «personajes». En un dibujo sobre lienzo de 1934 (*Mujer con vela, combate entre el toro y el caballo*) el toro enfurecido, que tiene ya clavado el estoque de su muerte, llega a morder desesperadamente las entrañas del caballo. Es ésta una escena nocturna, iluminada solamente por la vela que porta una figura femenina que emerge de un ventanuco, a la izquierda de la representación. ¿Qué pavorosa lucha de alcoba contemplamos, realmente, en ese tenebrista interior?

Con esta obra se relaciona el famoso aguafuerte conocido con el nombre de *Minotauromaquia* (1935). Un poco antes (noviembre de 1934) había diseñado *Minotauro ciego guiado en la noche por una niña*, un asunto maravillosamente poético, en el que es imposible no ver, una vez más, las implicaciones autobiográficas: Marie-Thérèse, con una paloma en la mano, guía al artista ciego, junto a la playa, en una noche estrellada.

Está claro: en estas y en otras obras de los mismos años aparecen ya, recombinados de distintos modos, todos los ingredientes de *Guernica*. Ninguno de ellos parece tener un significado unívoco: ¿qué representan minotauros y caballos? ¿Son seres positivos o negativos? La pregunta tiene su importancia porque ha conducido a muchas lecturas reductivas del gran lienzo que pintó Picasso para el pabellón de la República Española en 1937. Pero carece de sentido, como veremos a continuación.

El 18 de julio de 1936 se produjo el alzamiento militar y se inició la guerra civil, pero bien se puede decir que Picasso había tomado ya partido antes de esta fecha: a principios de aquel verano participó en la celebración del triunfo del Frente Popular en Francia mediante el diseño del telón para la obra de Romain Rolland *14 Juillet*. Su posición se había clarificado en los últimos años: cuanto más ajeno se sentía de Olga, más lejos quedaban para él sus coqueteos con la aristocracia internacional. Los surrealistas y Dora Maar lo habían ilustrado y concienciado políticamente. ¿Cómo evitar, por lo demás, una fuerte implicación emocional ante las noticias de fuego y muerte que llegaban de su país? No se produce entonces el fenómeno del artista que pone su trabajo al servicio de una causa política sino el de una curiosa convergencia entre la evolución personal y las circunstancias históricas. Picasso siguió expresando *sólo* sus propias obsesiones, aunque al vomitar artísticamente sus sentimientos ante la agresión fascista logró que su denuncia alcanzara un valor universal.

Los días 8 y 9 de enero (con algún añadido ulterior) completó las dos planchas al aguafuerte de *Sueño y mentira de Franco*, una especie de historieta muda en dieciocho viñetas donde se describen alegóricamente los efectos devastadores de la «cruzada» franquista contra el pueblo español. Todo estaba maduro para *Guernica*. Picasso aceptó a principios de 1937 el encargo de pintar una obra para el pabellón español de la Exposición Universal de París, que habría de celebrarse durante el verano, pero no supo, durante unos meses, qué podía hacer. El 26 de abril varias escuadrillas de aviones alemanes ametrallaron y arrasaron con bombas incendiarias la población vasca de Guernica, que era un objetivo de nulo interés militar. Hitler y Franco ensayaban así, por vez primera, las técnicas nazis de la destrucción total del territorio enemigo, antes de su eventual ocupación. Las descripciones y las fotografías periodísticas de aquella masacre gratuita estremecieron al mundo entero: Picasso ya tenía un tema y se puso a trabajar en él de un modo febril. Entre primeros de mayo y mediados de junio, cuando se colocó en su sitio la obra acabada, hizo más de cincuenta bocetos. Muchos de ellos no son estudios preliminares, sino trabajos colaterales unidos por el mismo tema, de modo que podemos entender al *Guernica* como si fuera la imaginaria «tabla central» del políptico laico que mejor expresa la crudeza desesperanzada del siglo XX.

El cuadro tiene unas dimensiones tan colosales (casi ocho metros de largo por tres y medio de alto) que Picasso se vio obligado a buscar un taller especial que le permitiera trabajar en él. Dora Maar documentó las distintas fases de su elaboración mediante una serie de fotografías tomadas entre el 11 de mayo y el 4 de junio, y gracias a ellas (los bocetos, ya lo hemos dicho, no son exactamente preliminares) podemos deducir cómo evolucionó, en unas pocas semanas, la idea del artista. La composición era piramidal desde el comienzo: sobre un suelo plagado de despojos humanos se alzaba el puño poderoso de un soldado, recortándose (se ve bien en la segunda foto de Dora Maar) sobre un sol o margarita gigantesca. Ya estaban allí las mujeres: la agonizante, la que eleva el grito al cielo sosteniendo a su hijo muerto, la que avanza en diagonal y la que alumbra con un candil esa siniestra escena nocturnal. El toro parecía incólume, como si sobreviviera a la hecatombe, y puede pensarse que, en ese primer estadio, Picasso lo consideraba todavía como una especie de símbolo del pueblo español, resistiendo con bravura a la agresión fascista.

Los cambios más significativos afectaron a este animal (que también acusará en la obra acabada el impacto de la tragedia) y al caballo, cuyo cuello y cabeza sustituyeron, violentamente enhiestos, al puño cerrado del guerrero. También el sol se convirtió en otra cosa: un ojo explosionado (¿otra *vagina dentata*?) que encierra dentro de su ovalada blancura la imagen de una bombilla encendida.

Nos hallamos, por lo tanto, ante todos los ingredientes de esa corrida mítica, en clave surrealista, que tanto había representado Picasso en los años anteriores: los diversos actores que habíamos visto dispersos en diferentes aguafuertes, dibujos y grabados, aparecen ahora juntos en un solo cuadro, como si constituyeran la apoteósica secuencia final de un poderoso drama teatral. Pero el nuevo «guión» es muy significativo, pues ya no hay víctimas y verdugos, mirones compasivos o testigos neutralizantes, rituales de amor con metáforas de muerte: en *Guernica* nadie se salva, todo es destrucción ciega. Espectadores, toros y caballos perecen por igual. No figura el asesino porque éste se ha saltado las reglas del juego ancestral. Picasso sugiere que el cobarde fuego aniquilador de los aviones fascistas ataca la naturaleza misma de la vida (que incluye una dosis inevitable de violencia «amorosa» ancestral). La inaudita villanía de este ataque (de la sublevación militar misma) saca al artista del mito y le arroja al vertedero de la historia. Despiadada manera de confirmar los postulados surrealistas, con la eliminación de las barreras que separan habitualmente el inconsciente profundo y la opaca realidad objetiva.

*Guernica* fue pintado casi en blanco y negro, en la tradición técnica de los grandes planos geométricos cultivada desde la fase del cubismo decorativo. No creo que esto se deba a la influencia de las fotografías periodísticas de la destruida población vasca, como muchas veces se ha dicho, y sí debieron pesar mucho en el ánimo de Picasso esos grabados tenebristas con toros o minotauros que hemos comentado antes. La luz (la explosión) de la muerte ciega exige un ámbito de pesadilla, nocturnal: ojo-sol, día-noche, dentro-fuera, paroxismo. ¿Y dónde está el *voyeur* que suele encontrarse en las alegorías picassianas? No hay duda de que se sitúa fuera, en la muchedumbre que mira la pintura y que tal vez provoca, con el fogonazo de su mirada, esa hecatombe de muerte y destrucción. No es fácil digerir la idea de que el espectador sea tratado como un cómplice del verdugo, pero sólo eso puede explicar por qué esta pintura, una de las más importantes de todos los tiempos, sea tan difícil de contemplar sin que se accionen los resortes misteriosos del sentimiento y de la acción.

## 11. *El compromiso*

No hay duda de que *Guernica* fue visto inmediatamente como un punto de referencia inexcusable en la historia de la pintura contemporánea. Para muchos representó una inesperada reconciliación entre la vanguardia artística y los ideales globales de la acción revolucionaria. ¿No se expresaba allí acaso una contundente denuncia de la violencia fascista sin renunciar a los procedimientos de la modernidad radical? Así es como Picasso, que no era propenso a los discursos ni a las declaraciones programáticas, incidió sin quererlo en el debate cultural más importante de los años treinta y cuarenta: de un lado estaban quienes pensaban que el arte proletario debía ser comprensible para las masas, es decir *realista*, y de otro los que defendían la total independencia entre el trabajo político y la esfera creativa. Falsa dicotomía, venía a decir *Guernica*. La vida y la obra del artista malagueño habían sido una constante negación del «principio de exclusión»: si ya antes había simultaneado lenguajes clásicos *y* cubistas, una vida de esposo público *y* otra de amante clandestino, su amistad con la aristocracia *y* con los surrealistas, etc., ¿por qué no demostrar ahora que se podía ser el más innovador de los vanguardistas *y* el más intransigente de los revolucionarios? ¿No iba esto, por lo demás, en la misma dirección que propugnaban Breton y sus amigos?

La evolución y los gestos públicos de Picasso en las dos décadas siguientes van a confirmarle plenamente en esa línea de conducta. Es la época del compromiso. Mientras duró la guerra civil española continuó pintando cuadros que delataban su angustia y denunciaban abiertamente la violencia: *Mujer llorando* o *Mujer gritando* (de octubre y diciembre de 1937, respectivamente) se sitúan todavía en la estela creativa de *Guernica*. Pero muy poco después de que acabara la guerra en España (y de que la victoria de los franquistas hiciera de él un exiliado de por vida) estalló la Segunda Guerra Mundial. Picasso permaneció en París soportando la humillante ocupación alemana, con una actitud de resistente, estrechamente vigilado por los nazis. No podía producir en esas circunstancias un arte de denuncia con escala monumental, de modo que recurrió a su viejo hábito de los jeroglíficos y las alegorías escondidas. Aunque muchas de estas obras, como casi siempre, se prestaban a una doble o triple lectura, poseían también una *clave* política que es imposible soslayar.

¿Cómo interpretar si no las calaveras de toro que proliferaron durante aquellos años? La más dramática de todas (Düsseldorf, Kunstsammlung Nordrhein-Westfalen) fue pintada el 5 de abril de 1942, y muestra las formas aristadas del cráneo, como de duro cristal de roca, recortándose frente a los vidrios transparentes de una ventana. Los colores son fríos (negro, violeta, azul...), y los planos facetados y angulaciones violentas contribuyen a transmitir la impresión de que nos hallamos ante la alegoría de un tiempo siniestro y feroz. ¿Qué mundo es ése en el que los amables bodegones han sido sustituidos, más literalmente que nunca, por «naturalezas muertas»? ¿Y no será el cráneo de toro, su cabeza cortada, una alusión más o menos deliberada al asesinato violento de la libertad? He ahí los despojos del Minotauro, el siniestro trofeo de caza del fascismo. No es casual que la elaboración de algunas de estas obras coincida, casi, con otros cuadros en los que vemos a un gato feroz devorando a un pájaro desvalido...

Cuando acabó la Segunda Guerra Mundial el compromiso político de Picasso se concretó mucho más y se hizo manifiesto. Durante la ocupación había vivido rodeado y animado por un grupo selecto de intelectuales críticos (Eluard, Desnos, Leiris, Sartre...) que valoraban mucho la aportación de los comunistas a la resistencia antifascista. Ellos leyeron en un acto semipúblico (19 de marzo de 1944) el drama del artista titulado *El deseo atrapado por la cola*, un texto en clave sobre las miserias de la Francia ocupada que no deja de recordar, por su tono esperpéntico y estrafalario, a las dos planchas de *Sueño y mentira de Franco*. Es otro medio expresivo, cierto, pero parece que en ambos casos pretendió seguir la senda surrealista sin dejar de ser fiel a la tradición del iberismo desgarrado.

La recuperación de la libertad tuvo algunas consecuencias inesperadas. La vanguardia, tan atacada por los nazis, aparecía ahora glorificada, y Pablo Picasso emergía como el héroe artístico indiscutible del siglo XX. El Museo de Arte Moderno de Nueva York (a donde fue a parar el *Guernica* durante algún tiempo) lograba sus primeros éxitos propagandísticos al conseguir que se identificara con los valores democráticos a la estética que había venido difundiendo desde hacía más de una década. Pero nunca dejó Picasso de poner en una situación incómoda a sus propios seguidores, y para corroborarlo una vez más se afilió al Partido Comunista.

La guerra fría complicó las cosas. ¿Cómo era posible exaltar a Picasso como quintaesencia de la libertad del arte democrático y sostener, a la vez, que el comunismo era la negación radical de esos valores? ¿No fue acaso este artista el autor de un retrato glorificador de Stalin y de algunos carteles propagandísticos de diversas iniciativas comunistas? Pero éste era un problema de los demás. Ya hemos dicho muchas veces que Picasso era especialista en sobrellevar (y en fomentar) la contradicción. No lo sabremos nunca con certeza, pero puede que sintiera una íntima satisfacción al conocer la incomodidad que causaba a algunos jerarcas comunistas su ambigua y extraña militancia en el partido de la «clase obrera».

Y es que Picasso no era un trabajador, sino un mito. Los museos y coleccionistas se disputaban sus obras. Todo el mundo quería ver a aquel personaje inmensamente rico y famoso que tan claramente hacía ley de su españolísima «real gana». No fue, desde luego, un militante comunista ordinario, sino un importante compañero de viaje que se prestó de buena gana a ser utilizado con fines propagandísticos. Tal vez así lavaba de algún modo su mala conciencia. ¿No era el denostado mundo capitalista, a fin de cuentas, el que había levantado su aureola y sostenía su impresionante tren de vida? Picasso vivía como un príncipe, con lujosos automóviles (se hizo legendario su Hispano Suiza, otro detalle «español» que no debemos pasar por alto), sirvientes, mansiones gigantescas, y veraneos en la costa mediterránea. Sus denuncias pictóricas pudieron ser para él una manera muy personal de mantenerse anclado a sus orígenes, a ese pueblo más o menos mitificado con el cual quería seguir siendo identificado.

Pero la poderosa fuerza persuasiva de *Guernica* nunca más sería alcanzada. Falta convicción en otros empeños monumentales ulteriores como *El osario* (1944-45) o *Matanza en Corea* (1951). La composición de este último cuadro está dividida en dos mitades: a la derecha el pelotón de fusilamiento, compuesto por un grupo de hombres desnudos pero cubiertos con cascos metálicos, como de soldadores, o de raros uniformes militares extraídos de una película de marcianos; a la izquierda, varias mujeres y niños, desnudos e indefensos, esperan la muerte inexorable entre el pavor y la serenidad. Los seres del primer grupo, los verdugos, no tienen rostro, pero las víctimas sí. Es obvio que aquí se citaba a los *Fusilamientos* de Goya, aunque yo creo que la composición que más se parece a ésta es el *Fusilamiento de Torrijos en las playas de Málaga*, de Antonio Gisbert, un gran cuadro liberal de nuestro siglo XIX que Picasso debió admirar mucho en Madrid. ¿No había vivido acaso toda su infancia malagueña frente a esa plaza de la Merced donde se alzaba (y se alza todavía) el monumento a Torrijos y a sus compañeros?

También son alegorías comprometidas los murales del llamado «Templo de la paz», de Vallauris (1952). Se trata de dos enormes óleos rectangulares de diez metros de longitud por cuatro y medio de alto, pintados sobre láminas de fibra pretensada, y que fueron instalados frente a frente, unidos por el lado superior, en el espacio abovedado de un edificio medieval. Uno de ellos representa *La guerra* y el otro *La paz*. En ambos vemos los grandes planos de color y el lenguaje descoyuntado heredero del cubismo decorativo. Otros símbolos pueblan, sin embargo, estas inmensas superficies: un carro militar, tirado por negros caballos que pisotean un libro, se destaca, en *La guerra*, sobre unas siniestras siluetas asesinas. Se enfrenta a ellos, a la izquierda, la imagen heroica de un guerrero con la balanza de la justicia y un escudo donde resplandece la paloma de la paz.

El simétrico panel opuesto es un cántico a la vida y a la libertad: hay mujeres desnudas bailando, un tocador de flauta, cometas, una maternidad, seres que esculpen o dibujan, árboles frutales (naranjo y vides), y un niño arando la tierra con un caballo alado. Es, casi, un anti-*Guernica:* Picasso continuaba cultivando el viejo mito anarquista de la felicidad al igual que lo habían representado otros pintores finiseculares como Signac (*En el país de la armonía*) o su admirado Matisse (con *Lujo, calma y voluptuosidad* y *Bonheur de vivre*, entre otras obras).

Es obvio que el anciano feliz de los años cincuenta veía un contenido político en esas representaciones mitológicas de la inocente «Edad de Oro». Nunca creyó en la represión ni en las convenciones de la moral burguesa. Los faunos y pastores, los centauros y las bacantes (como en *La alegría de vivir*, de 1946, en el mismo Museo de Antibes) continuaban manifestando de alguna manera el deseo surrealista de superar las odiosas limitaciones de un mundo en el que resulta imposible el disfrute de los instintos más primarios. Picasso parecía ilustrar las tesis del escritor marxista Ernst Bloch para quien el arte se equipara al pensamiento utópico por su promesa ilimitada de felicidad.

## 12. *Apoteosis del pintor-mirón*

En 1945, cuando terminó la Segunda Guerra Mundial, Picasso tenía unos 64 años. Con el armisticio se iniciaba para él una larga y productiva vejez, de casi tres décadas, durante las cuales produjo un número incalculable de obras artísticas, experimentó con otros procedimientos plásticos (cerámica, grabados con técnicas insólitas, monumentos urbanos...), disfrutó de nuevos amores y volvió a gozar de las satisfacciones de la paternidad con los dos hijos que le dio Françoise Gillot.

Ésta era una hermosa y joven pintora en 1943, cuando la conoció, aunque no empezaron a convivir hasta 1946. Parece que Picasso fue feliz con ella durante unos años, a pesar de que ambos amantes poseían personalidades muy diferentes. Los niños Claude y Paloma alegraron los días de aquella celebridad artística y lo humanizaron también, contribuyendo a que no perdiera el contacto con las fuerzas instintivas primordiales de la naturaleza. Pero Françoise no soportaba la tremenda presión que suponía vivir con un genio de tan poderosa proyección pública. Tampoco pareció comprender bien las motivaciones íntimas, la mentalidad y el peculiar talento de su compañero, o al menos eso es lo que se deduce de un polémico libro que publicó en 1964 con la colaboración del periodista Carlton Lake: *Life with Picasso*.

Todo esto no es tan importante para la historia del arte,

desde luego, como el trabajo desplegado, que siguió siendo realmente considerable, y no pareció verse afectado por las turbulencias afectivas. Cambiaban las modelos, pero la obra siguió fluyendo como un torrente inagotable. En 1954, muy poco después de que la relación con Françoise Gillot se terminara definitivamente, inició su convivencia con la joven divorciada Jacqueline Roque, la cual otorgó afecto y pasión a Picasso durante los últimos veinte años de su vida. También supo crear a su alrededor una sutil muralla protectora, defendiéndolo de la curiosidad más o menos morbosa de los innumerables admiradores, periodistas, mitómanos o estudiosos que anhelaban ver o hablar con «el genio artístico más importante del siglo xx». Parece que Jacqueline se tomó su papel de esposa de Picasso (se casaron, en efecto, el 2 de marzo de 1961) como un trabajo de significación especial que siempre desempeñó con alegría y con plena consciencia de su importancia histórica, lo cual no impidió que surgieran algunas voces acusándola de tener secuestrado y escondido a aquel anciano venerable.

La verdad era otra: no parecía pudoroso exhibir la patética decadencia física de Picasso. El viejo Minotauro se ocultaba en su laberinto con la obvia complicidad de su Ariadna particular. Sólo Jacqueline administraba con cuentagotas el limitado acceso de algunos íntimos o curiosos al santasantórum del arte contemporáneo que era su casa-taller. Ni siquiera la obra de aquellos años finales fue tan conocida por el público como la que había producido en otras épocas anteriores de su vida. Debió de contar en esa ocultación una concepción algo gazmoña del pudor: Picasso se pintó a sí mismo y a su entorno sin omitir ciertos detalles íntimos que la mayoría de la gente suele ocultar. Siempre había querido presentarse como un testimonio antropológico, un *caso* que habría de servir a los estudiosos para profundizar en el conocimiento de la naturaleza humana. De ahí las numerosas alusiones autobiográficas que encontramos en su larga vejez.

Eso es lo que son, aunque no se note a primera vista, casi todos los homenajes que rindió a algunos grandes maestros de la historia de la pintura universal. Era lógico, en realidad, que se sintiera interesado en medirse con los gigantes artísticos del pasado. ¿Acaso no era él ya prácticamente uno de ellos? La obsesión del Picasso tardío por reinterpretar algunos cuadros famosos no indica agotamiento creativo, como a veces se ha dicho, sino todo lo contrario: el gran iconoclasta que siempre había sido reventaba ahora la tradición, precisando con algunos ejemplos arquetípicos ese trabajo de demolición genérica de la pintura tradicional que había iniciado en su juventud con *Las señoritas de Aviñón*.

Ese es el sentido de sus versiones de las *Señoritas a la orilla del Sena*, según Courbet (1950) *Las mujeres de Argel* según Delacroix (1955), *Almuerzo en el campo* según Courbet (1954), el *Rapto de las sabinas* según David (1962), etc. No se trata simplemente de cuadros importantes elegidos al azar, pues hay algo en común a la mayoría de estos temas: el desnudo femenino, el erotismo más o menos violento, y que Picasso exageraba en sus propias reinterpretaciones. Los ejemplos más significativos tienen un mirón-protagonista y éste, con mucha frecuencia, es el mismo pintor. Es el caso de las litografías de *David y Betsabé* según Lucas Cranach (1947), el *Retrato de un pintor* según El Greco (1950), *Rembrandt y Saskia* (1963) o *Rafael y la Fornarina*. Se diría que estos temas, vistos retrospectivamente, dibujan una alegoría del artista como un ser que disfruta mirando y que identifica esa operación con la misma apropiación amorosa. De ahí el estrecho parentesco de sus revisiones pictóricas con el tema de *El pintor y la modelo*, uno de los más repetidos en los años finales de su carrera.

¿No es este asunto acaso el que más le atrajo de *Las meninas*? Sabemos que, entre agosto y diciembre de 1957, encerrado en su estudio de La Californie (Cannes), hizo cincuenta y ocho cuadros, de distintos tamaños, inspirados en la célebre pintura de Velázquez (donados luego por el artista, como homenaje a su amigo y secretario Sabartés, al Museo Picasso de Barcelona). El primero de ellos, que es también el más grande (194 x 260 cms.), nos muestra el conjunto de la escena velazqueña en un cuadro apaisado y monocromático con una gama de grises azulados, blancos y negros que recuerda, salvando las distancias, a *Guernica*. Lo más interesante es el enorme papel que asume la figura de Velázquez. Lo que era casi marginal en el cuadro original alcanza un claro protagonismo en la versión picassiana. Poco cuentan la infanta y sus sirvientas en primer plano, los reyes reflejados en el espejo, el aposentador que entra (o sale) por la puerta del fondo, ni la estancia, ni el perro: el verdadero protagonista es el pintor que reordena todo con su mirada, y compone (o destruye) la realidad con su pincel. El artista como mirón y demiurgo, como dios todopoderoso en el universo del arte.

Es curioso pero no incoherente que, una vez establecida esta especie de declaración de principios, la figura de Velázquez tienda a desaparecer (sólo se le ve, mucho más camuflado, en otros tres lienzos de conjunto). Picasso se dedica a reinterpretar fragmentos de la obra, y muy especialmente a las figuras del primer plano, empleando generalmente un colorido brillante, suntuoso, como si dialogara también a su manera con la pintura última de Matisse. Creo que esto es muy congruente con sus más importantes descubrimientos anteriores: ¿No parecía exigir la descomposición cubista esta multiplicación casi infinita de variaciones sobre cualquier aspecto de la realidad?

Picasso simultaneó la ejecución de estos lienzos con la vista insistentemente repetida (hasta diez veces) de una ventana con palomas a través de la cual se ve el azul del cielo y el mar de Cannes: era su propio estudio. Para entender esta nueva duplicidad temática conviene constatar la similitud compositiva entre ambas series. Los nidos de las palomas, a la izquierda, coinciden con la verticalidad del pintor y de su lienzo en *Las meninas*; las palomas del primer plano, posadas en el balcón, se identificarían con la infanta y sus sirvientas; el fondo abierto, con su resplandeciente luminosidad, se puede asociar, en fin, con la amplia estancia velazqueña y la puerta que abre el aposentador. O sea, dicho de otra manera: el taller de Velázquez frente (igual) al de Picasso. Mientras en aquél había reyes e infantas, enanos, perros y sirvientes, en éste se arrullan las palomas.

Estas eran, no lo olvidemos, viejos emblemas de Picasso. Su padre y él las habían pintado en su lejana infancia malagueña. Una de ellas, litografiada en 1949, había sido elegida por Aragon para el cartel del Congreso por la Paz, y se reprodujo tanto que llegó a convertirse en un símbolo universal. También puso el nombre de Paloma a su segunda hija, nacida el 19 de abril de ese mismo año. Era, sin duda, para Picasso, un animal femenino, contrapuesto de algún modo al Minotauro, así que eso del artista (Picasso) mirando-pintando las palomas y el mar, ¿no equivalía, de algún modo, al tema del pintor (Velázquez-Picasso) y su(s) modelo(s)?

Creo que esta hipótesis se confirma indirectamente con una constatación cuantitativa. Aunque todos sus diálogos con los artistas del pasado son importantes, debemos reconocer que el gran asunto en la pintura del Picasso viejo fue el desnudo femenino. No se trata de mujeres en general, sino de imágenes concretas de Jacqueline (y de otras modelos), y de ahí que sea imposible en muchos casos diferenciar tales obras de otros «retratos» más o menos convencionales. Son imágenes tan suntuosas, y exhiben tan ostentosamente los atributos del deseo, que es difícil encontrar en toda la historia del arte algo similar. El mirón-artista aparece con frecuencia dentro de las obras, contemplando esos cuerpos, entregándose con golosa complacencia a esa postrera forma de posesión amorosa que es la simple mirada admirativa y deseante.

Es un arte tierno y patético a la vez. Habla de la persistencia inconmovible, hasta el último suspiro, de la pulsión amorosa. Pero también testimonia la tragedia de la decadencia física, la cruel impotencia de la vejez. Nada como esta ambigüedad (o *duplicidad* de intenciones, nuevamente, si así lo queremos) para demostrar la total coherencia de tales trabajos con la línea de conducta más constante en la obra de Picasso.

Ya hemos visto que siempre aludió a los grandes asuntos de la existencia humana deleitándose en su paradójica ambivalencia: el amor y la violencia, el deseo y la muerte, la intimidad personal y los grandes impulsos colectivos... Eligió para ello lenguajes muy variados, prácticamente contrapuestos. Nadie le discute ya el haber inventado lo más significativo de la pintura moderna, condicionando así, de un modo inexorable, el trabajo de todos los artistas (pintores, escultores y arquitectos) del siglo XX. En su vida y en su obra se conciliaron los extremos imposibles. Pasará todavía mucho tiempo, seguramente, antes de que la humanidad pueda digerir el complejísimo legado de un artista semejante.

Pablo Picasso murió en Mougins el 8 de abril de 1973, seis meses antes de cumplir los noventa y dos años. No hacía mucho que su amigo, el poeta Rafael Alberti, había escrito sobre él unos versos que bien podemos adoptar ahora como resumen y epitafio:

> «Tú dominas el siglo.
> Si resbalas los ojos desde arriba,
> desde esa alta colina donde hoy vives,
> verás el mar, el mar por ti creado,
> bajar de ti, subir a ti en constante,
> perpetua pleamar ilimitada.»

# Índice

# Relación de ilustraciones